鋼の錬金術師
FULLMETAL ALCHEMIST
4

OUTLINE
FULLMETAL ALCHEMIST

エドワードとアルフォンスの兄弟は、
幼き日に喪った母を錬金術により蘇らせようと試みる。
しかし、錬成は失敗しエドワードは
左足と弟のアルフォンスを失ってしまう。
なんとか自分の右腕を代償にアルフォンスの魂を練成し、
鎧に定着させる事に成功するが
その代償はあまりにも高すぎた。
そして兄弟はすべてを取り戻す事を誓うのだった…。

ウィンリィ・ロックベル

Winry Rockbell

傷の男(スカー)

Scar

グラトニー

Gluttony

ラスト

Lust

マース・ヒューズ

Maes Hughes

エンヴィー

Envy

CONTENTS

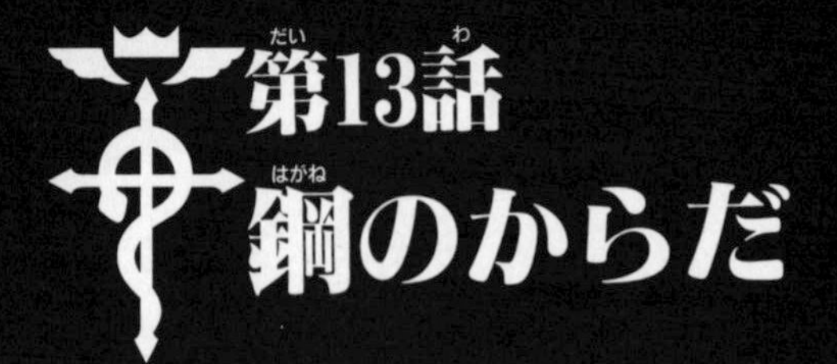
第13話
鋼のからだ

困った子ね
どうやってここの事を知ったのかしら
うが…
あまり見られたくなかったけどしょうがないわね

兄者!!
兄者!!
兄者ぁ!!
ちくしょう!
俺達はまだ
闘える!!
身体をくれ…
新しい
身体をくれ!!
身体を……

かっ…
ぐだぐだと
やかましいんだよ
このボケが！
おめーら
貴重な人柱を
殺しちまうところ
だったんだぞ？
わかってんのか？
ザス
おまけに
こっちの事
バラすところ
だったしよ
ガッ
ガッ
ゴッ
計画に
差し支えたら
どう責任
とるんだコラ！
ガス
なんとか言え
コラ！
ゴッ
ゴッ
ゴス
ああ？

エンヴィー
もう死んでる

あ?
あらー根性無いなぁ

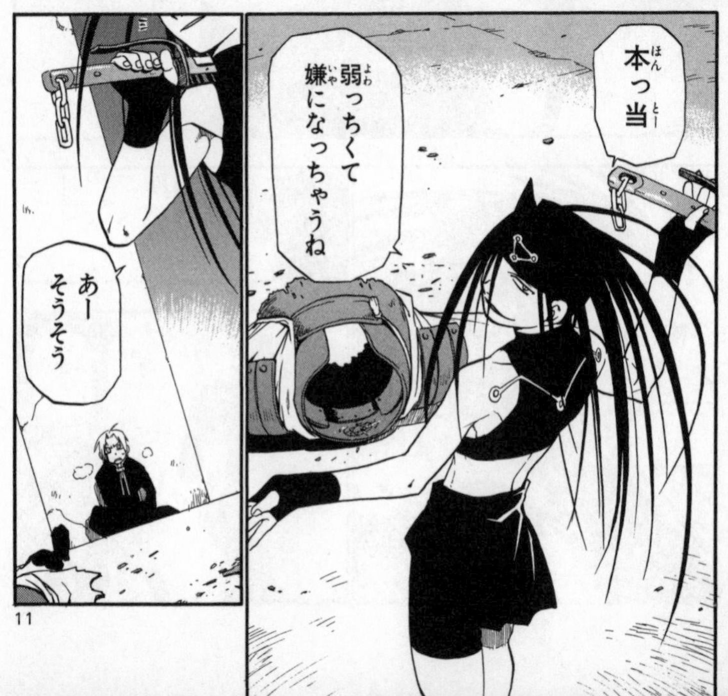
本っ当
弱っちくて嫌になっちゃうね
あー そうそう

初めまして
鋼のおチビさん
ここにたどり着くとは
流石だね
ほめてあげるよ
でもまずいもの
見られちゃったからなぁ……
やっぱり
あんたも
殺しとこうか？
こ…の…
お？
ずっ…
おお!?

あらー…
やる気満々だよ
このおチビさん
ふー
ふー
やだなぁ
ケンカは
嫌いなんだよね
ケガしたら
痛いしさぁ
うへー
チビチビと
うるせーん
だよ！
てめェが売った
ケンカだろが!!
買ってやるから
ありがたく

…え？
ぶらーーーん
なーーー!!?
こんな時にィイイ
…機械鎧の故障みたいね
ラッキー♪
ドン！！
ぶっ

殺すってのは冗談♡
げほ
腕が壊れてよかったね
余計なケガしなくて済んだんだからさ
ドサッ
いいこと坊や
あなたは〝生かされてる〟って事を忘れるんじゃないわよ

さて…
もうここで石を造る必要も無いし爆破して証拠隠滅してしまいましょうか
FILIVS REDEMPTOR ET MEDI ATOR
でも本当にこの子生かしといて大丈夫かな
ここを嗅ぎつけられたのは計算外だったけど石の製造法を知っただけじゃ何もできないわよ
計画はもう最終段階に入っているのだから

――なぁアル
オレさ…ずっと
おまえに言おうと
思ってたけど

怖くて
言えなかった事が
あるんだ

なんだ…
兄さんは何を
言おうとしてた?

怖くて
言えなかった事…

言えなかった事…

「オマエノ
ソノ人格モ記憶モ
人工的ニ造リ上ゲタ
物ナンダ」!?

ガ
ギン
!!
……
どうした
どうしたァ!!
急に動きが
悪くなったぜェ!?
げはははは
ははは!!
人工的に造られた
魂っつっても
完璧じゃねェと
みえる!
これ位の
ゆさぶりで
動揺するんだ
もんなァ!!

う…
うるさい!!
ボクは…
ガッ
ン!!
認めちまえよ
楽になるぜ?
くっ……

ズザ
げはははは!!
スキだらけだぜ
デカブツ!!

ドスッ
うェ？
動かないで！
次は頭を狙います
おとなしく大きい鎧の人をこちらへ渡してください

ロス少尉……
なんだおめェら
その人の護衛を任されている者です
ああくそっ護衛ふぜいがいい所でジャマしやがってよ！
門番の野郎何やって…
ああ
オレがぶった斬っちまったんだっけかァ失敗失敗
ふん…

面倒な事に
なっちまったな…
ズ
ズズ
ズズ
ズ
ズ
…………？
ズ
ズズ
なんの音だ…？

ズドン
ドドドドドドドドドドドド
な……
なんだぁ!?

爆発⁉
軍曹!! 退避よ!!
何してるの 逃げるのよ!
!!
兄さんが!!
ちょっ…
どこへ 行くの!!
兄さんがまだ 中にいるんだ! はなしてよ!
バカな事 言わないで!! 巻き込まれるわ!!

ドドドドドド
…うーむ…
こりゃあ
アレだな
素直にとんずら!!
ぎっ
あ…
待て!!
おめーらも
早く逃げねェと
巻き込まれるぜェ!!
げこや こや
こや こや!!
…くっ!!
兄さんが…
兄さんが…!!
今は
あなたが
逃げる事を
考えなさい!!
ドオッッ
ドドドドドド

ちわーっス
荷物お届けにあがりました
兄さん!?
命に別状は無いけど出血がひどいから早く病院に入れてやってね
ドドン ドド
ほんとにもうあんまり無茶しないようにあんた達しっかり見張っててよね
貴重な人材なんだからさ
ロス少尉何してるんですか早く!!
ドドドドドドドド
軍曹!手を貸して!!

どうしたんです
このケガは!?
ガガガ
ドガ
話はあとよ!!
あなたも早く逃げて…
あれ
いない…?
二人とも何をしてるんです!!
え…
ええ…
ドドン
うひゃーー!!

ドカ
ドン
ドドン
畜生…
奴ら派手に
やりやがったな
ロン
ドドドドッ
ドン
第五研究所を
放棄したって事は
俺たちゃ用無しって
事か……
…48も
生きちゃ
いめェな
ふん…
奴らの所に
わざわざ
処分されに
戻る事も
無ェやな
しばらく
シャバの空気を
楽しませて
もらうと
するかァ

ドドドドドドドドドドドド
ドンッ！
ドンッ！
CENTRAL PRISON
監視塔！状況報告を！
となりの第五研究所が崩壊している！
刑務所まで被害は無さそうだが…
ドドドドン
出せーっ!!
ガンッ！ガンッ！
地震か!?
なんだなんだ
すげー揺れてんぞ！
ズズン
ドドドドドド

ドオォォオオォォオオ
出せー!!
うひょー!!
地震だ地震!!
ちげーよ爆発だよ
あーもー
静かにせんかバカども!!
出せやアホ看守
ドドドドド
地震か?めずらしいな…
ドドドド
いい音ですね看守さん
これは爆発物で建物が崩れ落ちる音ですよ
ああいい音だ
身体の底に響く実にいい音だ
私語はつつしめキンブリー

やぁ失敬
イシュヴァールの殲滅戦を思い出してちょっと嬉しくなりましてね
ドドドドドド
ああそれにしても本当にいい音だ…
となりの研究所が崩壊したようだがここには影響無さそうだ
そうか
なんだ？鼻歌なんぞ歌ってごきげんだな
へっ！野郎さっきの音を聴いてうかれてんのさ

爆弾狂のキンブリーめ
♪

ドドドドドドド
ズズン

むーすっ
あ！
エドワードさん
起き上がれるようになりましたね
ここは？

ロス少尉の知人の病院です
軍の病院だと色々訊かれた時にまずいだろうと判断しまして…
ここなら静かに養生できますよ
あーくそ痛え……
もう少しで真実とやらがつかめそうだったのに…
入院なんてしてる場合じゃないよなぁ
鋼の錬金術師殿！
先に無礼を詫びておきます！
びしっ
へ？

ばしーー
あれほどアームストロング少佐が勝手な行動をするなと言ったのにそれをあなた達は!!
ぐわんぐわん
ん……
今回の件はあなた達に危険だと判断したから宿で大人しくしていろと言ったのに!!
少佐の好意を無視した上に下手したら命を落とすところだったのよ!?

うん うん
まず自分はまだ子供なんだって事を認識しなさい!
ぶ――…
そしてなんでも自分達だけでやろうとしないで周りを頼りなさい…
…もっと大人を信用してくれてもいいじゃない
以上!
カッ

下官にあるまじき暴力と暴言お許しください!!
ビシーッ
……あ…
いや……オレの方が…
…悪かった………です
…ビンタのおとがめは?
そんなもん無い無い!
ぶは———…

なんで
そんなに
気ィつかうんだよ
一般軍人でないとは言え
国家錬金術師は
少佐相当官の地位を
持っていますからね
あなたの一言で
我々の首が
飛ぶ事も
あるんですよ
そんなに
ピリピリ
する事ないよ
オレは
軍の地位が欲しくて
国家資格を
取った訳じゃないし
それに
敬語も使う事
ないじゃん
こんな子供にさ
あらそう？
いやー
実は年下に
敬語使うの
えらいしんどくて
さー!!
順応早ッ!!
そういえば
アルは？
アルフォンス君は
さっきオレが
ゲンコツかまして
同じ様に
説教した！

おかげで手がこのザマだけどね
じんじん
あいつかてーだろはははははは

あでででであはははは
は……
はっ…

…もう一回盛大に怒鳴られるイベントが残ってた…
?

ジリリリリリン

ヂリリリリン
ヂリリリリリン
はいはーい
わうっ
行儀悪いよっ
はいっ義肢装具のロックベルでございます
あウィンリィか？オレオレ
エド？めずらしいわね電話して来るなんて
あ——……あのさ…実に言いにくいんだけど出張整備してくれないかな——って…
出張？
いや右腕を壊しちまったんだけどさ…今ちょっと訳ありでそっちに行けないんだ
中央まで来てくれないかなぁ

壊れたって
どんな風に?
指は動くけど
腕が全く
上がらない
肩がはずれた
感じだな
うーん
やっぱりダメ
だったか
は?
いやいや
こっちの話
何か重い物
持ったとか
必要以上に
腕を振り回したり
した?
派手に
ケンカした
またあんたは!!
無茶したら壊れるって
あれほど言ったでしょーーー!!

しん…
?
…しょうがないわね
中央のどこ?
へ?
……もしもし?
ウィンリィ……さん?
出張整備引き受けたって言ってるのよ
ごそごそ
どこに行けばいい?
……なんかおまえ今日はずいぶんやさしくねぇ?
あたしはいつだってやさしいわよっ!!
棒読み
ああじゃあ詳しい事はまた電話する
うん
うん悪ィな

ほ————……
NAGADENWA
SURUNI
ガチャ
彼女に電話？
誰が彼女か——ッ!!
ぶびしッ
ああっ傷口が!!
看護婦さ——ん!!
あらあらたいへん
ぱたぱた
ああ…大きい川のむこうで母さんが手をふって……
ただの機械鎧整備師だよ！
なんだつまらないな
カラ カラ カラカラ
つまらなくて結構！
カラカラカラ…
ニヤニヤ
彼女いないの？
いらん！

オレが君くらいの年頃にはねえ
カラ カラ カラ
何やってんだそんなすみっこで
あれっアル…
…って
おーい？
アル！
びくっ
兄…さん
そんな所にいないで部屋に行かないか？

ん?
…ううん
なんでもない
?
先に行ってるぞ
今行く

その人格も記憶も
兄貴の手によって
人工的に造られた
物だとしたら
どうする?
認めちまえよ
楽になるぜ?

ピシッ

FULLMETAL
ALCHEMIST

第14話
ひとりっ子の気持ち

ボシューーッ
う〜〜〜〜〜〜
お尻痛い〜〜〜
あいつら
よくこんなのに
しょっちゅう
乗ってられるわね
WES
GATE
WELCOME TO
CENTRAL

さすが中央は人が多いなぁ…
ざわ
ざわ
エドの奴「西口で目印が立ってるからすぐわかる」って言ってたけど目印って……
あ
目印……
INFORMATION
STREET
WEST CENTER
アームストロング少佐！
おおウィンリィ殿！
リゼンブールではお世話になりましたな
いえいえエルリックのバカ兄弟がお世話になりました

WELCOME TO
CENTRAL CI
WEST GATE
それにしてもエドの奴こんな所まで呼び出しておいて迎えにも来ないなんて！
仕方ありますまい
今は動けない状態ですからな
それなんですけど「動けない」ってどういう事ですか
あいつ何も言わないんですもの
いやまぁなんと言いましょうか………
ちと入院してましてな
入院!?
そう…あいつとうとう犯罪を起こして少年院に…
納得。
その院ではありません
ぴし！
え……
病院……？

だ・か・ら・よ！
うちの娘が三歳になるんだよ！
でへっ
……ヒューズ中佐
私は今仕事中なのだが
奇遇だな俺も仕事中だ

ずれ
ずれ
いや もう毎日かわいいのなんのってよぉ！
わかったからいちいち娘自慢の電話をかけてくるな！しかも軍の回線で！
娘だけじゃない！妻も自慢だ！
えへぷぃ
……………錬金術で電話口の相手を焼き殺す方法は無いものかなヒューズ
おーおー焔の錬金術師はこわいねえ
──っと錬金術師と言えば傷の男はどうなった？
ぐちゃみそでわかんねぇよ
こいつですかね
まだ発見されていないがかなり大規模な爆発で身元不明の遺体も多数出てるからな
あるいはその中に…
東部近隣での目撃情報も無いからやはり死んだものとする意見が大勢を占めている
じゃあエルリック兄弟の護衛は解けるのか？
ああ彼らが中央にいるのなら中央の担当に判断をまかせよう

その担当だがな
国家錬金術師を統制する上層部の奴らが傷の男に殺られて人員不足になってる
ほお・・・
マスタング大佐の中央招聘も近いって噂だぜ
中央か
気をつけろよ
その歳で上層部に食い込むとなると敵も多くなる
覚悟はしている
悪くないな

おまえさんを
理解して
支えてくれる人間を
一人でも多く
作っとけよ
だから早く
嫁さん
もらえ
やかましい!!
がしょん
大佐
お電話は
お静かに
ヒューズ中佐〜〜〜
また
家庭自慢の
電話ですか?
何?
君も
うらやましい?

うちの娘が三歳になるんだよ～～～～写真見る？見る？
見ません！
プライベートな会話に軍の回線を使わないでくださいよもう…聞いてる方がはずかしいったら………
ヒューズ中佐 ヒトサンニイマル…と
上の人に盗聴されたら減給ものですよ！
減給ごときで俺の愛は止められんのだわはははは！
――あ
ロイの野郎にエドの入院の事話すの忘れてたな
ぽりぽり
まいっか

そんな!

…こんな
大ケガで
入院してるなんて
聞いてないよ!
ドサ
いや本来は
このケガの
半分以下
だったのだが…
エド!!
何ッ
第五研究所に
忍び込んで
大ケガをしたと!?
はい
ドドドドド
ドン!!
心配したぞ
エドワード
エルリック
ーーっっ!!!
ぎゅーー
ギャーー
べきぼきぐしょ
という
訳だ

もー
びっくり
させないでよ
オレに言うな
オレに!!
くそ…
おかげで
入院が
長引いちまった
鍛え方が
足りんのだ!
少佐と一緒に
しないでください!
それに
しても
………
少佐の分を
差し引いたって
ひどいケガじゃない
たいした事
ねーよ
こんなの
すぐ治る
ケガだ

？
なんだよ
…機械鎧が壊れたせいでケガしたのかな…
あたしがきちんと整備しなかったから………
しん……
えっ？
えっ？
えっ？
オレ？
そんな事気にしてたのか…
意外とかわいい所あるじゃん
べ べつにウィンリィのせいじゃねーよ！

だいたい壊れたのはオレが無茶な使い方をしたからで！
おまえの整備はいつも通り完璧だったしな！
ネジのしめ忘れに気付いてない？
それに腕が壊れたから余計なケガしなくて済んだってのもあるしよ！
気にすんなよ！なっ!!
そして結果オーライ？
そうね！あたしのせいじゃないわね！んじゃ早速出張整備料金の話だけど！
やっぱかわいくねー!!
スパーン
そのためには栄養と休養をしっかり取る事だ！
わかってるよ！
うむ！腕もケガもさっさと治して早く元気なエドワード・エルリックに戻ってもらわねば！
あんたが言うな

…牛乳残してる
びくっ
さっ
さっ
………
……牛乳嫌い
そんな事言ってるからあんたいつまでたっても豆なのよう!!
あーー!!
うるせー!!こんな牛から分泌された白濁色の汁なんぞ飲めるかー!!!
わがままだぞエドワード・エルリック!!

全国の酪農家のみなさま ごめんなさい

早くケガを
治したいなら
栄養はきちんと
とらねばならぬ!!
牛乳以外の
他の物で
栄養とってりゃ
問題無いだろ!!
だからあんたは
身長が伸びない
のよ!!
なにを
──っ!!
牛乳は
完全栄養食と
言ってねえ!!
知るか!!
……!!
……!!
パタン!!
?
アル?

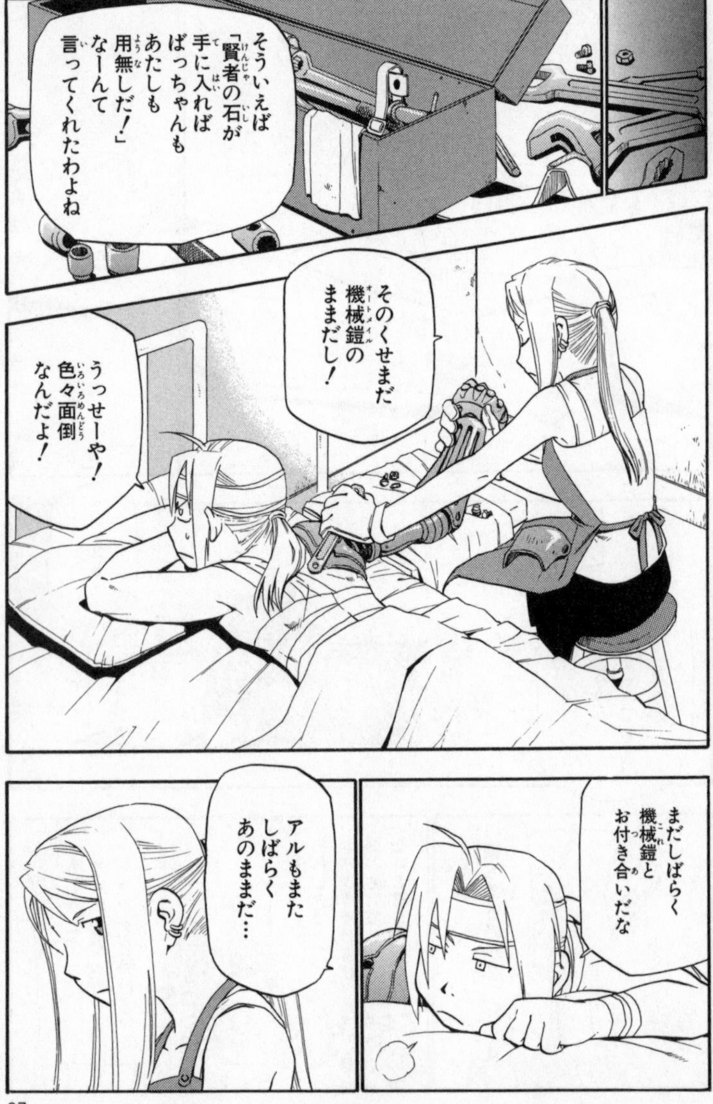
そういえば
「賢者の石が
手に入れば
ばっちゃんも
あたしも
用無しだ！」
なーんて
言ってくれたわよね
そのくせまだ
機械鎧のままだし！
うっせーや！
色々面倒なんだよ！
まだしばらく
機械鎧と
お付き合いだな
アルもまた
しばらく
あのままだ…

アル…
あいつ この頃
変だ

変？

うん
口数少ない
って言うか
考えこんでる
って言うか

はっ！
もしかして
オレがなぐったから
ショックを受けて!?

いや
それしきで
ショック受けるほど
弱っちい奴じゃ
ないと思う

…何か
悩んでるのかな

そっかー
ウィンリィにも
わかんないかー
いつも一緒にいる
あんたが
わからないんだから
あたしにわかる訳
ないでしょ
そりゃきっと
アレだね
恋わずらい
だね!
色ボケ軍曹と
一緒にすんな
よしっ
整備終了!
色ボケ…
お
サンキュー
あー
やっと直ったぜ
こんちくしょー
ぐるん
ぐるん
あとは早く
ケガを
治しなさいよ!
へー
へー

ばーーーーん
ようエド！
病室に女連れ込んで色ボケてるって？
ぷ
ぶっ
ただの機械鎧整備師だって!!
そうか整備師をたらしこんだか
やるな豆!!
……………!!
ああ言えばこう言う!!
傷口ひらくぞ

はー…
ウィンリィ
このおっさんは
ヒューズ中佐
ウィンリィ・
ロックベル
です
マース・
ヒューズだ
よろしくな
仕事
抜け出して来て
いいのかよ
へっへっへ
今日は
午後から
非番だ！
へー！
軍法会議所は
最近
多忙極めてて
休み取れないって
言ってなかったっけ？
心配御無用!!
シェスカに
残業
置いて来た！
あんた
鬼か
非番ついでに
おまえさんの様子を
見に来たってのも
あるが
もうひとつ
傷の男の件も
情報が
入ってな

もうじき警戒が解除されそうだ
本当に!?
やっとうっとーしい護衛から解放されるよ!
あ!ひどいなー
私達がいなかったらどうなってたと思ってるのよ
え?
護衛って…あんたどんな危ない目にあってるのよ!
う!!
いやまぁなんだ!気にするな!
たいした事じゃねーよ!
………
…そうね
どうせあんたら兄弟は訊いたって言わないもんね

じゃあ また 明日ね
あたしは 今日の宿を 探しに行くわ
軍の宿泊施設なら 国家錬金術師の 名前で 格安で泊まれるぞ
え――? 軍のってなんか おカタそう――
そうだ! なんなら うちに 泊まってけよ!
でも 初対面の人に 迷惑かける 訳には…
気にすんなって! うちの家族も 喜ぶしよ!
よし そうしよう それでいこう
え? あの…
わっはっはっはっ
ズル
ズル
ズル
人さらい ふたたび……

あのぉ……
ヒューズさん…
これはいったい…
よくぞ訊いてくれました!!
もこ
もこ
なんだ?
♪～
今日は俺の娘の三歳の誕生日だ!

パパ
おかえりー
あら
かわいい
お客さん
エリシアちゃん
会いたかった
よ～～～～♡
じょり
じょり
じょり
じょり
やーパパおひげくすぐったーい
前に話したろ
ほら
エルリック兄弟
ええ
あれの
幼なじみの
ウィンリィちゃん
泊まる所
探してたから
連れて来た
妻のグレイシアと
娘のエリシアだ
お世話に
なります
初めまして
ゆっくり
していってね
エリシアちゃん
今いくつ？
ふた…

みっちゅ！
や〜〜ん
かわいい
〜〜〜〜♡
めろ
めろ
親バカ…
でも
いいんですか？
私なんかが
娘さんの誕生日に
およばれして
祝い事は
みんなで
分け合った方が
楽しいだろ？
ようこそ
ヒューズ家へ

エリシアちゃん
お誕生日おめでと――!!
わあぁぁぁぁぁぁぁ

パパ！
パパがくれた
ねずみさん
動かないよう
あれー？
不良品
だったかな
エリシアちゃん
ちょっと見せて
くれる？
やっぱり
歯車が
はずれてる
これを
こうして…
はい
わぁ!!

すごい
すごーい!!
じ
ほー
器用な
もんだな
おもちゃの
お医者さんだ!
あはは
ちがうけど
似たような
ものね
あいつの
整備師
やってるって?
ええ
同じ
リゼンブールの
生まれで
家が近かったって
いうのもあって
小さい頃から
いつも一緒で
きょうだいみたいな
ものですよ
わはは
あんなだから
手間かかるだろ
手間がかかる
って言うか
心配ばっかり
たまに
帰って来たと
思ったら
おもいっきり
腕壊してるし

今日も呼び出されてみればエドは大ケガで入院してるし
アルは何か悩んでるみたいだし
…エドの機械鎧…半月位前に新しいのをつけてやったのに今日見たらもう傷だらけでした
おまけに身体も傷だらけで…いったいどんな生活してるんだろう
だけど何があったかなんてあいつら絶対言わないんですよ
元の身体に戻る旅に出る時もあいつら二人だけで決めちゃって相談もされなかったし
本当のきょうだいなら
旅に出る事も今日のケガの事もきちんと話してくれたのかな

相談しなかったんじゃ
なくて
相談する必要が
無かったんだろ
ウィンリィちゃんなら
言わなくても
わかってくれるって
思ったんだよ
あいつらは
しょーがねえよなぁ
男ってのは
言葉よりも
行動で示す
生き物だから
……言葉で
示してくれなきゃ
わからない事も
あります
苦しい事は
なるべくなら
自分以外の人に
背負わせたくない
心配も
かけたくない
だから
言わない

それでも
あの兄弟が
弱音を吐いたら――
そん時は
きっちり
受け止めてやる
それで
いいんじゃないか?
エリシア
ちゃーん!
あそぼ!
なんだよー
エリシアちゃんは
ボクとあそぶん
だよー
えーボクとだよ
あはは
娘さん
もてもてですね
ぴく
おい
小僧ども
うちの娘に
手ェ出したら
タダじゃおかねえぞ!
ジャコッ
ヒューズさんは
行動で
示しすぎ!!

お世話になりました
本当にいいの？中央にいる間ずっと泊まっててもいいのよ？
そんなに甘える訳にはいきませんから今日は自分で宿を………
ひしっ
ぎゅ～
エリシア！
ひしっ
すっかりなついちゃって…
こうして見ると姉妹みたいだな
わははは

え・・・
おねえちゃん
行ってらっしゃい
早く
帰って来てね
こりゃ
今日の宿も
決まりね
へへ
妹が
できたみたいで
うれしい

むう〜〜〜〜……
今日も出やがったなこんにゃろう!
バチ
バチ
あーもー牛乳がなんだってんだよ
オレは絶対飲まねーぞ!
あーあオレの代わりに飲んでくれよアル〜〜〜
…ってもその身体じゃ無理かぁ…
…せっかく兄さんは生身の身体があるんだから飲まなきゃダメだよ

嫌いなものは嫌いなの！
だいたい牛乳飲まないくらいで死にゃしねえっつーの！
こう見えてもちゃんと伸びてんのによ
こんにちはー
みんなしてちいさいちいさい言いやがって！
アルはいいよな
身体がでかくてさ
ガチャッ

ボクは好きでこんな身体になったんじゃない!!

だい　　わ
第15話
はがね
鋼のこころ

FULLMETAL
ALCHEMIST

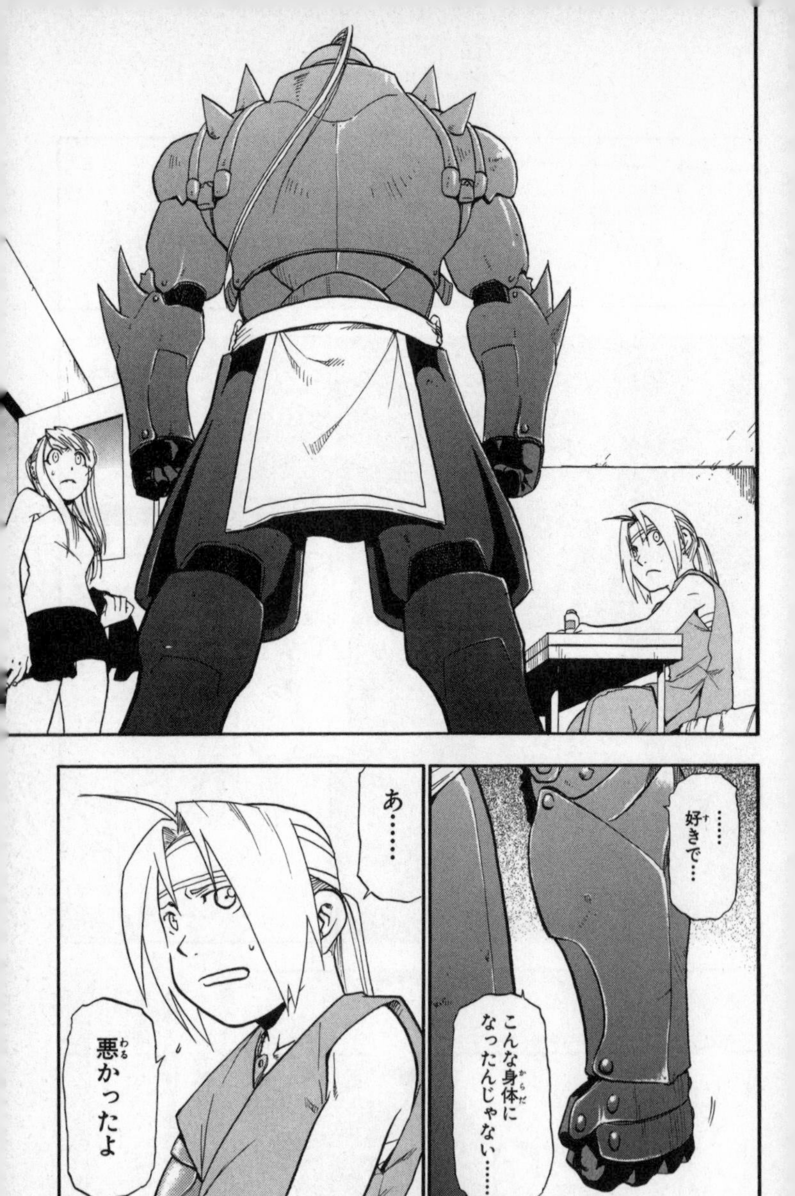
……好きで……
こんな身体になったんじゃない……
あ……
悪かったよ

……そうだよなこうなったのもオレのせいだもんな…
だから一日でも早くアルを元に戻してやりたいよ
本当に元の身体に戻れるって保証は？
絶対に戻してやるからオレを信じろよ！
「信じろ」って!!
この空っぽの身体で何を信じろって言うんだ……!!
錬金術において人間は肉体と精神と霊魂の三つから成ると言うけど！
それを実験で証明した人がいたかい!?
?
?

「記憶」だって突き詰めればただの「情報」でしかない…
人工的に構築する事も可能なはずだ
おまえ何言って…
…兄さん前にボクには怖くて言えない事があるって言ったよね
!
それはもしかしてボクの魂も記憶も本当は全部でっちあげた偽物だったって事じゃないのかい?
ねぇ兄さんアルフォンス・エルリックという人間が本当に存在したって証明はどうやって!?
そうだよ…ウィンリィもばっちゃんも皆でボクをだましてるって事もあり得るじゃないか!!
どうなんだよ兄さん!!

――ずっと
それを溜め込んでたのか?
言いたい事はそれで全部か

――そうか

エドっ…!
…カ…

ごわん
バカ――――っっ!!
いっ…
いきなり
なんだよ!!
ぐわん
ぐわん
は――
は――
は――
ぼ～
ぼ～
ぼ～っ

びっくーっ
ウッ…ウィンリ……
アルのバカちん!!
ぼごーん
い
エドの気持ちも知らないで!!
エドが怖くて言えなかった事ってのはね……
アルがエドを恨んでるんじゃないかって事よ!!

…アルがあんな身体になったのはオレのせいだ…
は、
は、はっ
あいつ食べる事も眠る事も痛みを感じる事もできないんだ…
………あいつきっとオレを恨んでる………！
は、
は
怖いんだ…
そんな事ない！
アルはおまえを恨むような子じゃないよ
訊いてみればわかるだろ
怖くて訊けないいんだ…
だから一日でも早くオレが元に戻してやらなきゃ…
機械鎧手術の痛みと熱にうなされながらあいつ毎晩泣いてたんだよ

それを…
それなのに
あんたはっ…
ガン
ガン
ガン
自分の命を
捨てる覚悟で
偽者の弟を作るバカが
どこの世界に
いるってのよ!!
ガン
ガン
ガン
あんた達
たった二人の
兄弟じゃないの

びしっ
!?
あ……
追っかけなさい！
…
…うん
駆け足!!
はいっ!!
ぴゃ

カチャ…
……
兄………
そういえば
しばらく組手やってないから体がなまってきたな
へ？
まだ傷が治ってないのに何言ってんだよ……

ガッ
わあ!?
ちょっ…
ドカ
ドカ
待った!
ドカ
待った
兄さん!!
ガン

ズキン ズキ
傷口がひらいちゃうよ!!
…っ!?
ぶわ
どがしゃあ!!
あう

どん
勝った！
へっへ…初めてアルに勝ったぞ
…ずるいよ兄さん
うるせーや勝ちは勝ちだ！
………小さい頃からいっぱいケンカしたよなオレたち
うん
今思えばくっだらねぇ事でケンカしたよな
二段ベッドの上か下か…とかね
あの時オレ負けたな

おやつの事でいつもケンカしてたっけ
あ〜〜〜勝った覚えが無ぇや
師匠の所で修業中もケンカしたよね
「やかましい」って師匠に半殺しにされたからドローだろあれは
おもちゃの取り合いとか
オレがアルの本に落書きした時もな
ボクが勝った
ボクの圧勝だったね
レイン川で遊んでた時も
オレ川につき落とされたっけな
「ウィンリィをお嫁さんにするのはどっちだ」ってケンカもした
え!? そんなの覚えてねーぞ!!
やっぱりボクが勝ったでも二人ともふられた
…あっそう…

――全部うその記憶だって言うのかよ

……ごめん

イーストシティでお前言ったよな「どんな事しても元の身体に戻りたい」って

あの気持ちも作り物だったって言うのか?

………作り物じゃない

そうだ絶対に二人で元に戻るって決めたんだ

これしきの事で揺らぐようなぬるい心でいられっかよ

オレは!

ケンカも心ももっと強くなるぞ!

……牛乳も……なるべく飲むぞ

はは

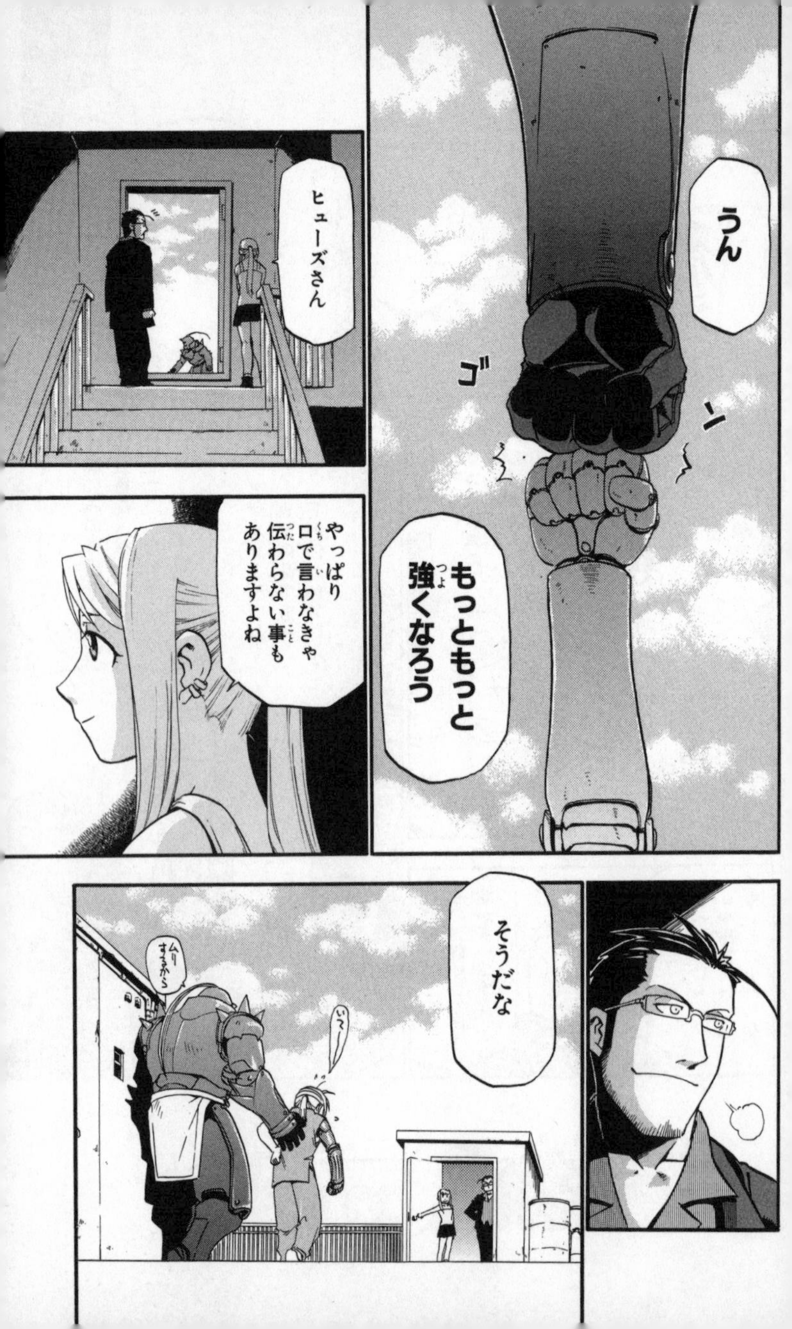

うん
ゴン
もっともっと強くなろう
ヒューズさん
やっぱり口で言わなきゃ伝わらない事もありますよね
そうだな
ムリすっから
いてー

で
こいつに蹴られた後はもう覚えてない
魂のみの守護者…貴重な人柱…生かされている…エンヴィーなる者…
マルコー氏いわく東部内乱でも石が使われていた…
ウロボロスの入れ墨に
賢者の石の錬成陣…
ただの石の実験にしては謎が多いですな
これ以上調べようにも今や研究所はガレキの山だしな

う――――――――ん

う〜〜〜ん
なんだか難しそうな話をしてますが
これ以上危ない事に首を突っ込みたくないから聞かない！
あー君達鋼の錬金術師君の病室はここかね？
カッ
カッ
はいここで…
軍法会議所で犯罪リストでも漁れば何か出てくるかもしれねーな
うーん
我輩はマルコー氏の下で石の研究に携わっていたと思われる者達を調べてみましょう
コンコン

失礼するよ
キング・ブラッドレイ大総統!!
ああ静かに
そのままでよろしい
はっ…
大総統閣下何故このような所に…

何故って……お見舞い
メロンは嫌いかね？
あ
ども
じゃなくて!!
軍上層部を色々調べているようだなアームストロング少佐
はっ!? あ…いやその…
何故それを…
私の情報網を甘くみるな
そしてエドワード・エルリック君
どこまで知った？
「賢者の石」だね？
場合によっては――

ははは
はははは
にっ
は？
冗談だ！
そうかまえずともよい！
わーははははは
軍内部で不穏な動きがある事は私も知っていてな
どうにかしたいと思っている

だが…
あ… それは…
ほう… 賢者の石の研究をしていた者の名簿だな よく調べたものだ

この者達全員行方不明になっているぞ

……!!
第五研究所が崩壊する数日前にな
敵は常に我々の先を行っておる
そして私の情報網をもってしてもその大きさも目的もどこまで敵の手が入り込んでいるのかもつかめていないのが現状だ

つまり
探りを入れるのは
かなり危険で
ある…と？
うむ
ヒューズ中佐
アームストロング少佐
エルリック兄弟
君達は
信用に足る
人物だと
判断した
そして
君達の身の
安全のために
命令する
これ以上
この件に
首を突っ込む事も
これを口外する事も
許さん!!
誰が敵か味方かも
わからぬこの状況で
何人も
信用してはならん！

軍内部全て敵と思いつつしんで行動せよ！
だが!!
時が来たら君達には存分に働いてもらうので覚悟しておくように
ビッ
は…
はっ!!
ビシッ
閣下ーーっ!!
大総統閣下はいずこーー!!
む！いかん！うるさい部下が追って来た！
仕事をこっそり抜け出して来たのでな！
しゅた！
私は帰る！

また会う事もあろう
では さらば
とて とて とて
わははははははは
ぱか――ん
あれ
どしたの みんな 外の二人も 固まってるし
あ―― びっくりした
いや…… 嵐が 通り過ぎた……
? なんの こっちゃ
たのまれた 汽車のキップ 買って来たよ
おっ サンキュー

なんだ
せわしないな
ケガも
治りきって
なかろうに
いつまでもこんな
消毒液臭い所に
こもってられっか!
明日には
中央を出るぞ!
今度はどこへ
行くんだ?
ダブリス?
ガサ
ガサ
どこ
それ
えっとね…
南部の
真ん中あたり
NORTH
EAST
SOUTH
あ——
——!!
うわ!!
ここ!
ダブリスの
手前!!
びしっ
ラッシュバレー?
何かあるの?
機械鎧技師の
聖地
ラッシュバレー!!
一度行って
みたかったの
~~~~~~♡
ぶわっ
~~~~~~

連れてって連れてって連れてけ!
一人で行けそんな所!
ペッ
誰が旅の費用を払うのよ!
オレにたかる気か!!
いいんじゃない?ついでだし
しょーがねぇなぁ
やった――♡
リゼンブールにすぐ帰るつもりだったけど予定変更!
ばっちゃんに電話してくるね!
きゃっほー
ぱたぱたぱた
元気だなぁ
うんいい嫁さんになるぞ
うちの嫁さんほどじゃないけどな
ははは
オレに言うな!!
そしてさり気にのろけんな!!

ダブリスには何しに行くの？
うん 兄さんと色々話し合ったんだけど師匠の所に行こうかと思って
あ～～～… オレ達ぜってー殺される…
殺…
あんたらの師匠ってばいったい……
やっぱこわいよ兄さん!!
うわーん
たえろ弟よ!!
………

リオールの暴動？
ええ
レト教とかいう新興宗教が住民をだましてたってやつ
やっと治まったらしいですよ
あ
本当だ
あーあ
やだねぇ
死者多数だとよ
EAST AREA NEWS
イシュヴァールやら暴動やら東部も大変だな
東部だけじゃないですよ
北も西も暴動だ国境戦だと急ににぎやかになって
ははっ
そのうち国家転覆するんじゃないですかね
ガバッ

中佐
どちらへ？
昔の記録を
調べに
書庫に
行って来る
バタン
バタ バタ バタ
？
イシュヴァールの
内乱…
リオールの
暴動……
そして…
おいおい
どこのどいつだ
こんな事
考えやがるのは…
早く
少佐と
大総統に…
ギ……

バタン
初めまして
それとも「さよなら」の方がいいかしら
………
イカす入れ墨してるなねぇちゃん…
知り過ぎたわねヒューズ中佐

ジャッ
ドッ
ガッ
ドン
つ…っ
くそっ!!
ググッ

「くそ」はこっちのセリフだわ
デスクワーク派かと思ったら意外といい腕してるじゃないの中佐
はっ
はっ
あら ヒューズ中佐 また家庭自慢の電話で…
中佐 血が!!
なんでもねぇ 電話借りるぞ

大総統府に
ガ ッ
ガ ン!
?
悪い
ジャマしたな
え?
中佐!!

はぁ
はぁ
はぁ
ブツッ
はい
東方司令部
ロイ…
マスタング大佐に
つないでくれ！
外線からの電話は
つなげない決まりに
なっておりまして…
中央のヒューズ中佐だ!!
緊急で外からかけてる!!
コードをおねがいします
はら
ああ もう
面倒くせェ!!
「アンクル」「シュガー」「オリバー」「エイト」「ゼロ」「ゼロ」！
コード確認しました
しばらくお待ちください
早くしろ！
軍がやべぇ!!
はらり
ジャリッ

受話器を置いていただけますか中佐
さあ受話器を
ロス少尉……
……じゃねえな
誰だあんた

誰って…マリア・ロス少尉ですよ
ロス少尉は左目の下に泣きボクロがあるんだよ！
病院で何度も会ってるで…
いいや 違う
ああ
そうだっけうっかりしてたよ
これでいいかな？
パキン
な……

…………
なんだってんだ
畜生
夢でも
見てる
みたいだ…
そうだね
最高の悪夢を
見てもらおうかな
頭の回転が
早いばっかりに
とんだ災難
だったね
ヒューズ中佐
おいおい
カンベンしてくれ
家で
女房と
子供が
待ってるんだ
……
ジャリ
ここで
死ぬ訳にゃ
いかねえん
だよ!!

その女房を刺そうっての?
いい演出だろう?
ヒューズ中佐
……っ

くそったれ…
リリリリン
リリリリン
リリリリン
おっと
中央のヒューズ中佐から一般回線で通信です
またヒューズか
つなげ
………
私だ 娘自慢なら聞かんぞ!
………
?

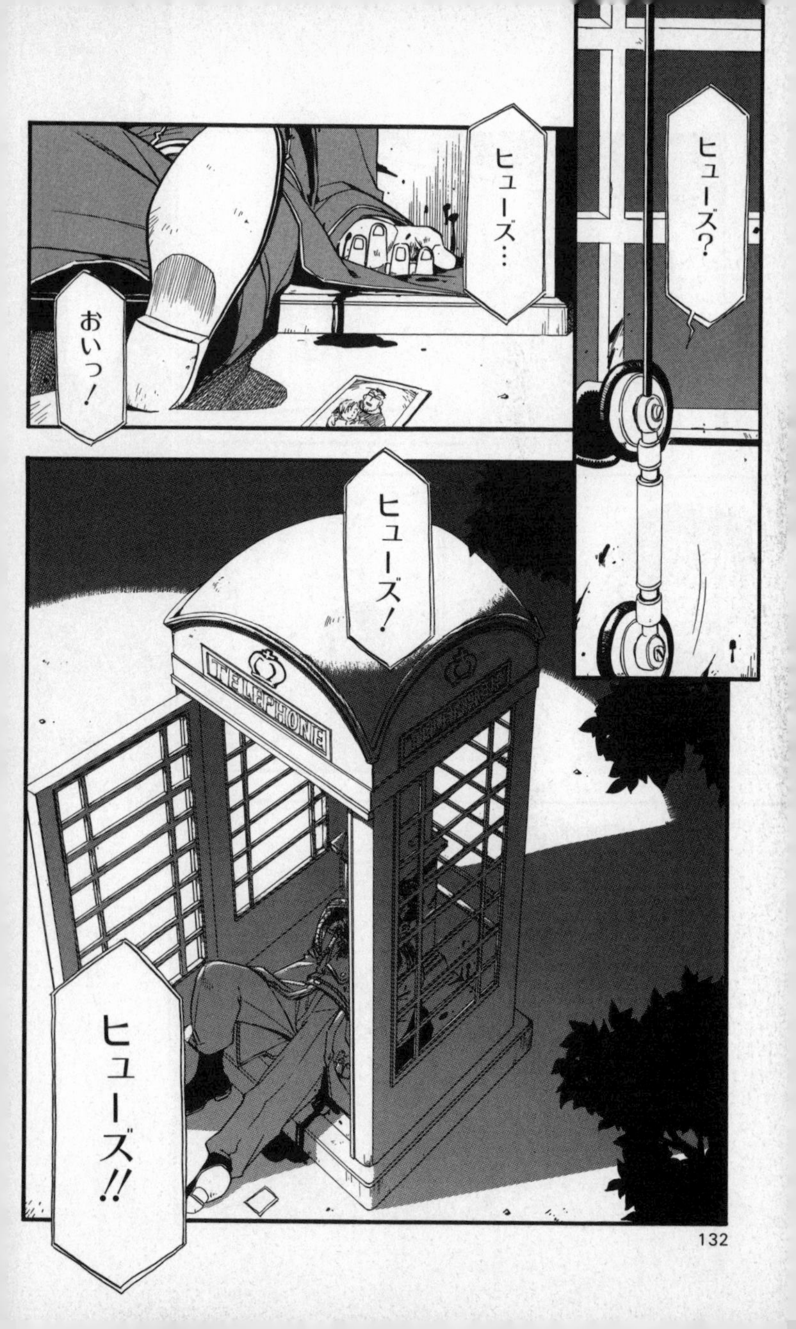
ヒューズ?
ヒューズ…
おいっ!
ヒューズ!
TELEPHONE
ヒューズ!!

FULLMETAL
ALCHEMIST

第16話 それぞれの行く先

ゴオッ
ガタン ゴトン ガタン ゴトン
なんでまた急に師匠の所へ行こうなんて思ったの？
理由はふたつ
ここ最近どうにも負けっぱなしでよ
とにかく強くなりたいと思ったのがひとつ
203

はぁ?
ケンカに
強くなりたくて
行くの?
あんたら
ケンカ馬鹿?
ばっきゃろー!
そんな単純な
もんじゃねぇや!!
なんて言うか
こう……
ケンカだけじゃ
なくて
中身もって
言うか…
…なあ!
そう
そう!
オレは
もっともっと
強くなりたい!
うん!
とにかく
師匠の所に行けば
何か強くなる
気がする!
………
ふたつめは?

人体錬成について
師匠に訊く事!
ボクら
師匠の元で
修業したって言っても
賢者の石や
人体の錬成については
教えてもらって
ないいんだよね
そう
賢者の石が色々と
ぶっそうな事に
なってるからさ
ここは思いきって
ストレートに
元の身体に
戻る方法を
訊いてみようかと
思ってんだ
もう
なりふり
かまって
らんねーや
師匠に
ぶっ殺される
覚悟で
訊いて…
訊いて…
短い人生
だったなぁ
アル〜〜〜
どよ〜ん
せめて彼女だけでも
作っておきたかったよ
兄さん…!!
お…

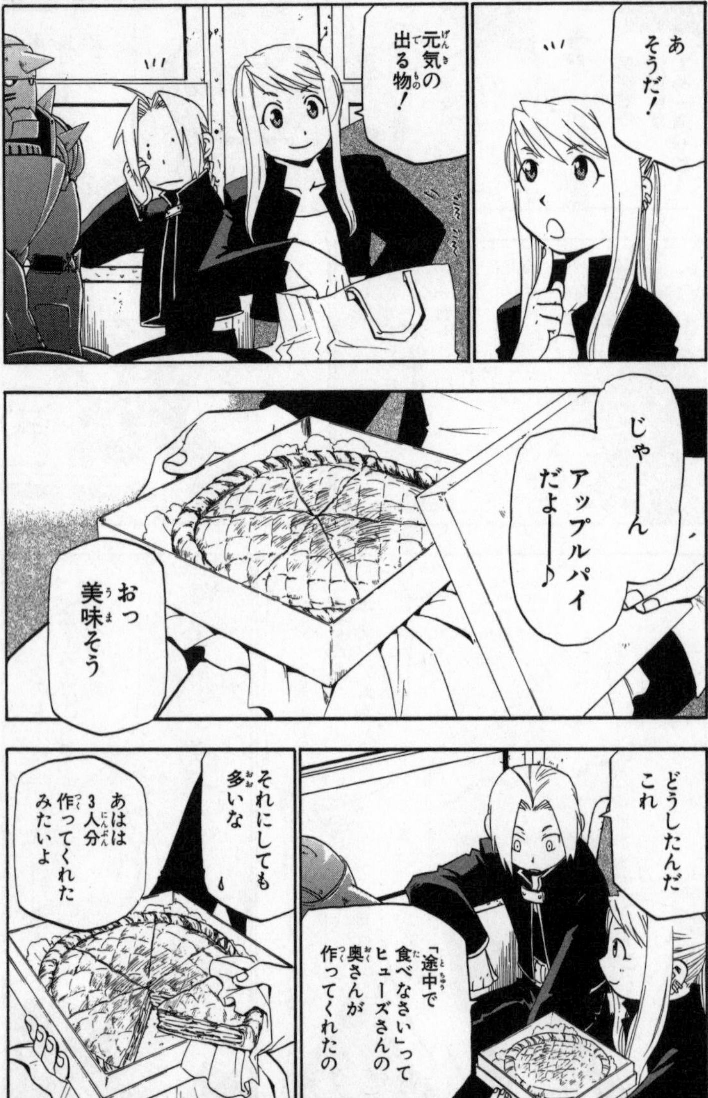
あ
そうだ！
元気の出る物！
じゃ——ん
アップルパイだよ——♪
おっ
美味そう
どうしたんだ
これ
「途中で食べなさい」って
ヒューズさんの奥さんが
作ってくれたの
それにしても多いな
あはは
3人分作ってくれた
みたいよ

ボクの分も食べなよね兄さん
ワワワ
ワワワ
う!!
病院での仕返しかてめ このヤロー
うん美味い!
ヒューズさんの奥さんねすっごい料理上手なんだよ
作り方教えてもらったからアルが元の身体に戻ったら焼いてあげるね
やたー!!
…こういうのも「おふくろの味」って言うのかねえ
しみじみ
兄さん年寄りくさい
ヒューズさんも奥さんもエリシアちゃんも
すごくいい人だった

ヒューズ中佐って親バカで世話焼きでうっとーしいんだよなー

ははは

いっつも病室に兄さんをからかいに来てたよね

ほんとに……

「毎日仕事で忙しい」って言いながらしょっちゅう見舞いに来やがんの

ガタン

ガタン

タタン

──今度中央に行ったら何か礼しなきゃな…

……ママ
どうして
パパ
埋めちゃうの?
ねぇ
おじさんたち
どうして
パパ
埋めちゃうの?
エリシア…
いやだよ…
いやだよぅ…
そんなことしたら
パパおしごと
できなく
なっちゃうよ…
エリ…

パパ
おしごと
いっぱいあるって
言ってたもん
いやだよ
埋めないで
よ………
パパ……!!

Maes=Hughes
殉職で二階級特進…
ヒューズ准将か……
私の下について助力すると言っていた奴が私より上に行ってどうするんだ
馬鹿者が
大佐

風が出て冷えて来ましたよ
まだお戻りにならないのですか？
ああ
…まったく錬金術師というのはいやな生き物だな中尉
今…
頭の中で人体錬成の理論を必死になって組み立てている自分がいるんだよ
あの子らが母親を錬成しようとした気持ちが今ならわかる気がするよ
………大丈夫ですか？

大丈夫だ
——いかん
雨が降って来たな
雨なんて降って…
いや
雨だよ

……そうですね
戻りましょう
ここは……
冷えます

急に
思い立ったように
資料室に行くと
出て行きましてね
カッ
カッ
カッ
カッ

それが私がヒューズ中佐を見た最後でした
何者かと争ったのか
ええおそらく
室内から廊下へと血痕が残されていました
そして次にむかったのが…

T・O
中佐はケガをしたまま電話をしようとして…
そこで何か考えていたようです

結局どこへもかけずに…
出て行ってしまったんです

ギ…
軍法会議所で何かに気付き…
所内で通信できたものをわざわざ外に出て私に連絡を取ろうとした…
TELEPHONE

東方司令部の
電話交換手は
「軍がやばい」という
ヒューズの言葉を
聞いている
なんだ…
あいつは何を
伝えようと
した?
軍が
崩壊するような
事態が進んで
いるとでも…?
大佐
アームストロング少佐を
お連れしました

中佐を殺害したと
思われる者達の
目星はついております
目星はついて
おりますが
どこの誰かも
わからぬのです
ならば何故
さっさと捕らえない!!
?
どういう事だ
詳しく話せ
できません
大佐である私が
「話せ」と言って
いるのだ
上官に逆らうと
言うのか!

話せません

…わかった 呼び出してすまなかったな

もう行っていいぞ

はっ

…そういえば我輩言い忘れておりました

数日前までエルリック兄弟が滞在しておりましてな

・・・・・・エルリック兄弟が？
そう
エルリック兄弟です
彼らの探し物はみつかったのかね？
いいえ
なにしろその探し物は伝説級の代物ですので
そうか
ありがとう

…これといった情報は得られませんでしたね
いやまったく少佐はお人好しだ
？
「ヒューズを殺害したと思われる者達」という事は相手は複数…
ひょっとすると組織として動いている者達…
「大佐である私の命令であろうと言う訳にいかない」という事は私以上の地位の者が少佐に口止めしているという事…
軍上層部がらみと考えていいだろう
そして「エルリック兄弟の探し物」
POST

すなわち賢者の石だ
あ……

軍上層部にかかわる組織と賢者の石とヒューズ中佐…
いったいどんなつながりが…
がしがし
さぁな私にもさっぱりだ
だがこのままで済むものか

もうじき私は中央に異動になる
あら
おめでとうございます
渡りに舟とはこの事だ
上層部を探ってヒューズを殺した奴を必ずいぶり出してやる

公私混同とは貴方らしくないですね
「公」も「私」もあるものか
大総統の地位をもらうのもヒューズの仇を討つのも全て私一個人の意思だ！
上層部に喰らい付くぞ
何を今更
付いて来るか？

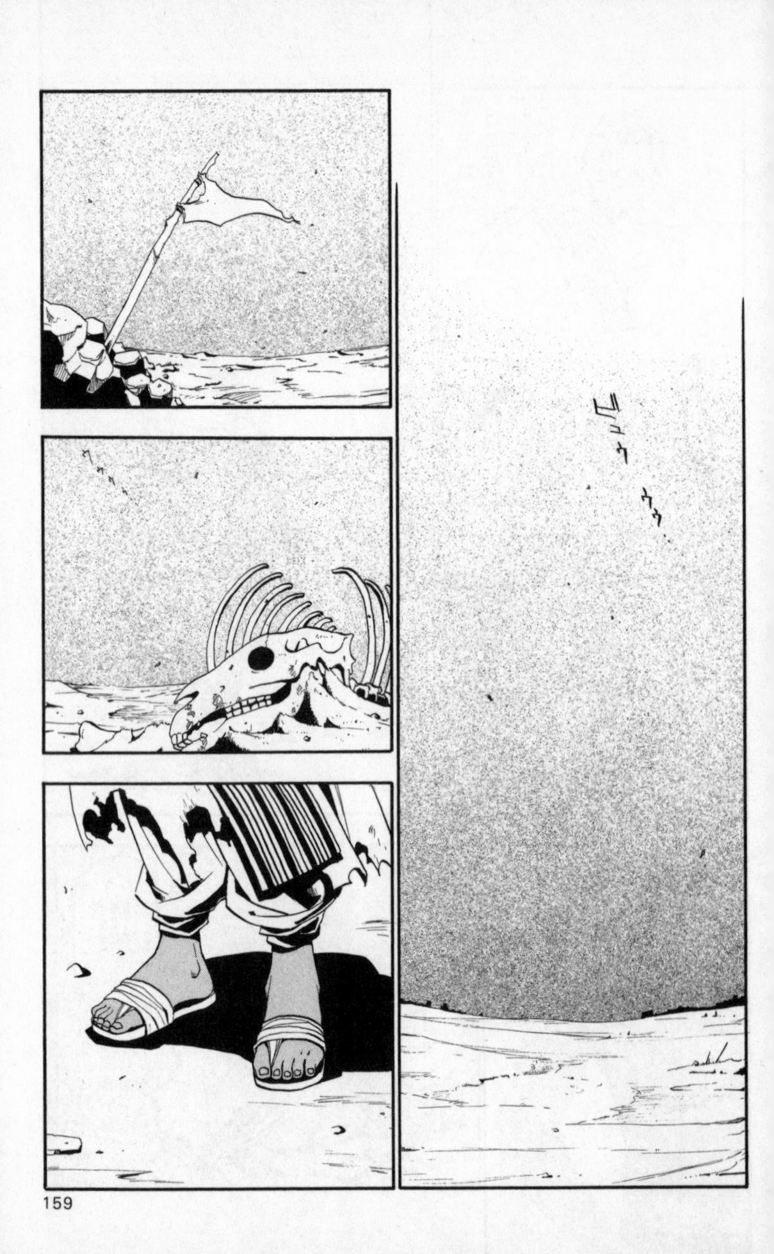
ヒュウ
ウウ…

…どこだ
ここは
この匂い…
イシュヴァール
………か?
兄者…
師父…
皆どこへ——
やあ

……何者だ
イシュヴァールの民ではないな
ああ失敬
あいさつが遅れまして
この地区の殲滅を担当する
国家錬金術師です
ゴオッ

ドッ

ガ
ッ
にいいいいい

ゴキ
ゴキ
ガッ
ドッ

ゴ
ド

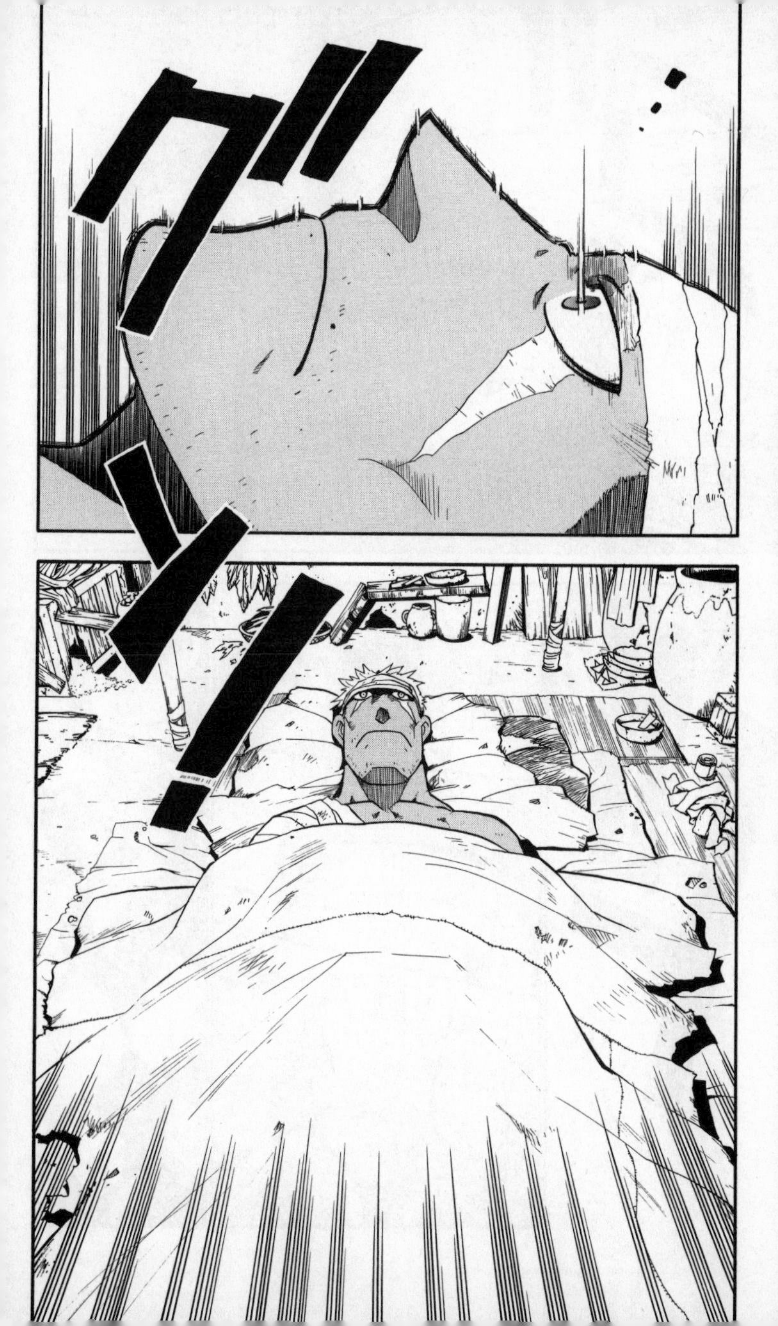
グン!

あ
起きた
…………
生きてる
うん
生き返ると
思わなかった
ここは
どこだ
イーストシティの
はずれにある
貧民街だよ
…己れは
助けられた
のか
でへ
おお
感謝して
くれよ
びっくり
したぞー
うわ!
ぷかー
下水道を
人間が
流れて来んだ
もんな

……
こんなビンボーなのに人を助けてる余裕あるのかよってか？
そーだなおっちゃんが普通の奴だったら身ぐるみはいでそのまま下水道にポイだな
でしょ。
……
おっちゃんイシュヴァール人だろ
オレも母ちゃんがイシュヴァール人なんだ！
にっ

じっちゃ！
生き返ったぞ！
おお
命ひとつもうけたな
若いの
おめぇさん
アレだろ
指名手配になってた奴じゃろ？
！
……通報するか？
かまえる事ぁ無い
かっ　かっかっ
この貧民街は
イシュヴァール
ゆかりの者ばかりじゃ
身内を売る
あほうは
おらんよ

おい
生き返ったってか！
兄ちゃん
何か欲しい物
あるか？
わら
わら
つっても
ろくなモン ありゃ
しねぇけどよ！
がっはっはっ
わら
意識が
戻ったって
よかった
よかった
イシュヴァールの
生き残りが
こんなにいるのか
ここだけじゃ
ないぞい
各地に小さな
集落を作って
ひっそりと
だが元気に
生き残っておるよ
こんな
スス臭い所でも
住めば都っちゅーか
かっかっか
「世の中全て
我らが神
イシュヴァラの
懐なり」じゃな
…そうか

すまない
世話になっ
……
ぐうっ
あーあ
動いちゃ
だめだよ
死にかけて
たんだから
……少年よ
己れの
右腕は
付いているか
右腕？
ああ
ひどいケガだけど
両手両足
ちゃんと付いてるよ
でも
すげぇなぁ
おっさんの右腕
入れ墨？

掲載・月刊少年ガンガン平成14年8月号〜11月号

FULLMETAL
ALCHEMIST

外伝
軍の犬？

ちょこん
……なんですか
これは
[イヌ]
食肉目イヌ科
学名Canis familiaris
原種はオオカミとされ
群れを作って狩りをする
習性を持つ
んな事を
てるんじゃ
のよ
ルマン准尉
すみません!
僕が
今朝拾ってきた
犬です!
へえ
この犬飼うのか
フュリー曹長
いえ
うちは
寮なので
飼えないいん
ですよ

世話ができないのなら拾って来てはダメよ
この雨の中ふるえてたからかわいそうでつい……
そうだ誰かこの犬飼ってくれませんか?
うち寮だから無理だな
ブレダ少尉は……
犬嫌い!! 大っっっ嫌い!!
……ダメですか……
じゃあ俺がもらおう
ひょい
俺犬は好きだぞ
うわぁありがとうございますハボック少尉!
炒めて食うと美味いらしい

ここからはるか
東の方の国じゃ
食用に飼っててな
赤犬が一番
美味いっていう…
他の
飼い主を
さがしま
しょうね
はい…
冗談っスよ
犬？
無理だよ
オレらみたいな
根無し草が
ペットなんて
やっぱり
ダメかぁ…
だいたい
曹長は
人が良すぎ
だよ
飼う資格も
条件も
揃ってないのに
動物を
拾って来ちゃ
ダメだろ
なっ
アル
ぎくっ
いや

カリカリカリカリカリカリ
また猫拾って来て中で飼ってるなアル!!
だって雨の中で寒そうにしてたんだもん!!飼っていいでしょ!?
ダメ!!元の所に捨てて来い!!
兄さんのバカ!!ひとでなし!!
だっ
走るな!!ネコかわいそう!!
ほぉ犬か!
犬は好きだぞ
ははは
本当ですか!?

何より
その忠誠心!!
主人の命令には
絶っっっ対服従!
過酷に
扱っても
文句を言わんし
給料もいらん!
そう!
まさに
人間のしもべ!
いいねぇ 犬!!
大好きだ!!
ははははは
この人に
飼わせては
いけない…!!
そうか
飼い主が
みつからない時は
また捨てて来いと…
はい…
中尉も
冷たいです
こんな雨の中に
また放り出せ
なんて…
なに
心配する事は無い
ホークアイ中尉は
ああ見えても
やさしい人だよ

…………
はぁ……
飼い主はみつかったの曹長
ぎっくう!
あ…あの いや その…………
みつからなかったのね?
はい…約束通り元の場所に…
しょぼん
そうね飼い主候補がいないならしょうがないわね
私が引き取ります

うちのしつけは厳しいわよ?
中尉……!!
だから言っただろう彼女はやさしい人だと
ははは
ははは
よかったなぁ飼い主がみつかって
んぐ んぐ
中尉ならしつけもきちんとしてかわいがってくれそうだしな
ひと安心です
あ
じょ
あーあ早速粗相を…
ガチャッ

掲載・月刊少年ガンガン増刊ガンガンパワード平成14年秋季号

鋼の錬金術師④　おわり

おまけ

我が家の愛犬、
名をブラックハヤテ号と言います。
君ネーミングセンスは無いんだね

ねこ

そう 私の頭部の 血印…

これを壊せは おまえの…
か
ぱ
にゃ

にゃ〜〜ん

雨に…… うたれてたから……
にゃー
にゃにゃ
…あんた いい人なんだな…

ねこ　エピソード2

わギ
にゃ

ドカ
ドカ
ドカ
にゃーん

ドン
にゃ
ドドドン
にゃにゃ

さぁ来い
シュッ シュッ
にゃ
ぎにゃにゃ
がしゃーん
がしゃーん
あんた鬼や!!

二人を止めて
鎧の中にネコなんて入れんなよな兄者
だってかわいそうじゃあないか
だいたい俺はイヌ派なんだよ!! ネコなんざペッ!!!
きっ…貴様 私を比類無きネコ派と知っての暴言か!!
はっ!! ネコは自己チューで嫌いだね!!
なにを!! 他人に尻尾をふってヘイコラしてる畜生のどこがいいか!!
貴様のようなふぬけた奴にニャンコの愛らしさなぞ一生理解できんわ!!
言ったなこのクソ兄者!!
兄弟喧嘩
俺を怒らせるとどうなるかわかってんだろうな
このこのこのこの
ただし一方的
がすがすがすがすがす
やっ…やめ……壊れる!!
ぎゃー!!
ステキ毛
最近弟が急に大人っぽくなった気がする
なんだろう……
……
スネ毛だよ兄さん!!!
フフフ!!
二次性徴!!?

続・野望の錬金術師
ロイ・マスタング大佐
29歳独身
夢は大総統になって軍の女性の制服を全てミニスカートにする事
ああ楽しみです
早く大佐が大総統になってくれないかな
俺一生この軍にいるよ
何を言っている!!
我が軍に野郎などいらぬ!!
男はみんなクビにして私のハーレム完成!!
ズバーン
ロイ・マスタング大佐
29歳独身
志なかばにして殉職!!
ミニスカ
漢の威厳
どうも私は年相応に見られないというかなめられている気がする
シブみと威厳をかもし出す何かいい方法はないものか…
ぶつぶつ
ヒゲでも生やしたらシブく見えるんじゃないスかね
それだ!! ヒゲだ!!
油性ペン
何か問題が?
うん ヒゲだ
まごうこと無きヒゲだ

鋼の錬金術師4
すぺしゃるさんくす～

高枝景水さん
ひのでや三吉つぁん
杜康潤さん
弥正成さん
馬場淳史さん

担当 下村裕一氏

AND YOU!!

やっぱフンドシがいかんのか？

きゅっ

「強くなりたい」と
願う少年達
どれだけ進めば
そこに辿り着けるのか!?
錬金術師だ!
…なにが
国家錬金術師だ
また肝心な時に…

オレは無力だ…!!
人間兵器だ…
鋼の錬金術師
2003年6月発売予定!
乞うご期待!!
はがねのれんきんじゅつし
2003ねん6がつはつばいよてい！こうごきたい!!
no. 5 HAGANE no RENKINJUTSUSHI
第5巻

ガンガンコミックス

鋼の錬金術師 4

2003年2月22日 初版
2005年9月1日 26刷

著 者　　荒川 弘

発行人
田口浩司
発行所
株式会社スクウェア・エニックス

〒151-8544　東京都渋谷区代々木3-22-7　新宿文化クイントビル3階
〈内容についてのお問い合わせ〉　TEL 03(5333)0835
〈販売・営業に関するお問い合わせ〉　TEL 03(5333)0832
FAX 03(5352)6464

印刷所　図書印刷株式会社

ISBN4-7575-0855-7 C9979